BRAVO!

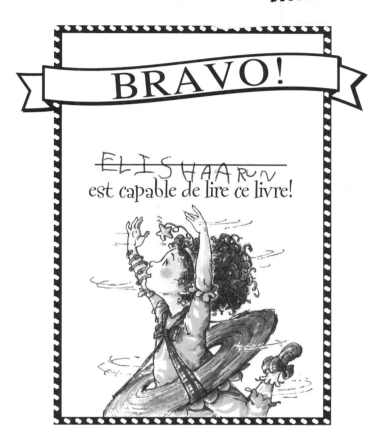

~~ELISHAARN~~
est capable de lire ce livre!

À Penny et Johnny,
mes C-O-U-S-I-N-S
— J.O'C.

À mon neveu William,
champion dans bien des domaines!
— R.P.G.

À Igraine, une grande femme
de lettres. De vingt-six lettres,
pour être exact.
— T.E.

Catalogage avant publication de Bibliothèque et Archives Canada
O'Connor, Jane
La reine de la dictée / Jane O'Connor ; illustrations, Robin Preiss Glasser ;
texte français d'Hélène Pilotto.

(Je lis avec Mademoiselle Nancy)
Traduction de: Splendid speller.
Pour les 4 à 7 ans.

ISBN 978-1-4431-1844-6

I. Preiss-Glasser, Robin II. Pilotto, Hélène III. Titre. IV. Collection:
O'Connor, Jane. Je lis avec Mademoiselle Nancy.

PZ23.O26Rei 2012   j813'.54   C2012-900071-X

Édition publiée par les Éditions Scholastic,
604, rue King Ouest, Toronto (Ontario) M5V 1E1,
avec la permission de HarperCollins.

5 4 3 2 1   Imprimé au Canada 119   12 13 14 15 16

Je lis avec Mademoiselle

NANCY

La reine de la dictée

Jane O'Connor

Illustration de la couverture : Robin Preiss Glasser
Illustrations des pages intérieures : Ted Enik
Texte français d'Hélène Pilotto

Éditions
■SCHOLASTIC

Sans vouloir me vanter, je suis
une virtuose de l'épellation.
V-I-R-T-U-O-S-E. (Virtuose, c'est
encore mieux que très doué.)

Béa aussi est une virtuose.
Après l'école, on s'exerce dans
notre tente secrète.

Je sais même épeler des mots chics!

Comme T-R-U-F-F-E qui veut

dire « nez de chien ». Ma sœur est

impressionnée. (Un autre mot chic qui

signifie qu'elle me trouve bonne.)

Ma sœur ne sait pas épeler. Parfois,
mes parents épellent des mots. Ainsi,
ma sœur ne peut pas comprendre.

Leur petit jeu ne fonctionne plus
avec moi. Ils viennent de dire que
ma sœur aura une P-I-Q-Û-R-E
demain, chez le médecin.

À l'école, Mme Mirette annonce :

— Nous ferons notre première dictée vendredi.

Voici les mots de la dictée.

passer verre

classe joyeux

triste content

fâché regarder

semaine gigoter

On recopie les mots. Certains élèves grimacent. Ils trouvent les mots difficiles.

Béa et moi, on pousse un petit cri joyeux. J-O-Y-E-U-X. La dictée sera facile!

Pendant le souper, je m'exerce à
épeler certains mots.

— Peux-tu me P-A-S-S-E-R le lait,
s'il te plaît? Je veux en verser dans
mon V-E-R-R-E.

— Bravo! dit mon père.

Il m'applaudit. Alors je déclare :

— Béa et moi, on est les meilleures de la C-L-A-S-S-E en dictée. Sans blague. On est les reines.

Plus tard, j'essaie de mémoriser
les mots. (« Mémoriser », c'est
une façon chic de dire « apprendre
par cœur ».) Le mot le plus
difficile est G-I-G-O-T-E-R. Deux
« g » dont l'un se prononce « j »!

J'étudie toute la semaine.
S-E-M-A-I-N-E. Je veux être
une virtuose. Je veux écrire
chaque mot correctement.

Le vendredi, je suis prête. Mme Mirette prononce chaque mot lentement. Elle finit avec « gigoter ».

J'écris G-I-G-O-T-E-R. Est-ce juste?
J'hésite. J'écris le mot d'une autre
façon. J-I-G-O-T-E-R. Est-ce juste?

Je fais alors quelque chose d'ignoble. (« Ignoble », c'est pire que mal.) Je regarde (R-E-G-A-R-D-E) la feuille de Béa! Elle a écrit G-I-G-O-T-E-R. Elle doit avoir raison.

Je veux corriger mon mot. Je veux
avoir tout bon. Je veux être la
reine de la dictée. Puis je m'arrête
et je me dis : *Non, non, non!*

Je remets ma dictée à Mme Mirette.
Va-t-elle me détester si elle apprend
que j'ai triché?

À la récréation, je reste seule
dans mon coin.

Au dîner, je ne mange pas mes biscuits.

Au cours de musique, je ne chante pas.

À la fin de la journée, Mme Mirette nous remet notre dictée. J'ai fait une faute à « gigoter ».

Mme Mirette vient me voir.

— Qu'est-ce qu'il y a, Nancy?

Tu es triste à cause de la dictée?

Tu as une très bonne note.

Je lui dis ce que j'ai fait. Je pleure
si fort que j'en ai le hoquet.

— J'ai triché et c'est mal.

Mme Mirette me dit :

— Nancy, c'était mal de regarder
la feuille de Béatrice, mais tu n'as
pas triché. Tu t'es arrêtée avant de
tricher. Je suis fière de toi.

— C'est vrai? dis-je.

Je suis encore triste. T-R-I-S-T-E.

Mais je me sens un peu mieux.

En revenant de l'école, je confesse
tout à Béa. (« Confesser », c'est
avouer ce qu'on a fait de mal.) Elle
me pardonne.

Elle me montre sa dictée et dit :

— J'ai oublié le « x » à « joyeux ».

On n'est peut-être pas les reines de la
dictée, mais on est les reines de l'amitié!

Les mots chics de Mademoiselle Nancy

Voici les mots chics du livre :

confesser : avouer ce qu'on a fait de mal

être impressionné/impressionnée : admirer ce qu'une personne fait

ignoble : très mal

mémoriser : apprendre par cœur

truffe : le nez d'un chien ou d'un chat

virtuose : personne qui excelle dans un domaine